CWRDD Â'R MARCHOGION

Gan Julia March

Addasiad Mari George

www.rily.co.uk

Golygydd y testun gwreiddiol Pamela Afram
Golygydd prosiect celf Jon Hall
Dylunydd Jade Wheaton
Dylunydd Clawr David McDonald
Rheolwr cyn-gynhyrchu Siu Yin Chan
Cynhyrchydd Louise Daly
Rheolwr golygu Paula Regan
Rheolwr golygydd celf Guy Harvey
Cyfarwyddwr Celf Lisa Lanzarini
Cyhoeddwr Julie Ferris
Cyfarwyddwr Cyhoeddi Simon Beecroft

Ymgynghorydd darllen

Maureen Fernandes

Cyhoeddwyd gan Rily Publications Ltd,
Blwch Post 257, Caerffili CF83 9FL
Hawlfraint yr addasiad © 2017 Rily Publications Ltd
Addasiad Cymraeg gan Mari George

ISBN 978-1-84967-025-8

Cyhoeddwyd yn wreiddiol yn Saesneg yn 2016
dan y teitl LEGO NEXO KNIGHTS: *Meet the Knights!*
gan Dorling Kindersley Ltd,
Cwmni Penguin Random House

Hawlfraint cynllun y dudalen © 2016
Dorling Kindersley Limited

Mae LEGO, logo LEGO, y Minifigure a'r
cyfluniad Brick a Knob, NEXO KNIGHTS
yn nodau masnach o'r LEGO Group. ©2018
The LEGO Group. Cynhyrchwyd gan
Dorling Kindersley, 80 Strand, Llundain,
WC2R 0RL, dan drwydded y LEGO Group.

Mae'r cyhoeddwr yn cydnabod cefnogaeth
ariannol Cyngor Llyfrau Cymru.

Mae cofnod catalog CIP o'r llyfr hwn
ar gael o'r Llyfrgell Brydeinig.

Argraffwyd yn China.

www.LEGO.com

Published by Rily Publications Ltd, P.O. Box 257,
Caerffili, CF83 9FL Cymru, United Kingdom

PLEASE NOTE: The pictures which appear
in this book are photographs of actual LEGO
toys / LEGO bricks, and so some images
may contain English words as shown
on the LEGO sets and LEGO stickers.
NODER: Mae'r lluniau yn y llyfr hwn
yn dangos teganau LEGO / briciau LEGO
go iawn, ac felly gall rhai delweddau gynnwys
geiriau Saesneg fel sy'n ymddangos
ar y setiau LEGO a'r
sticeri LEGO.

LEGO® NEXO KNIGHTS™: MERLOK 2.0

Free app · Kostenlose App · Appli gratuite
App gratis · App Grátis · Ingyenes alkalmazás

Device check · Gerät prüfen · Vérification du dispositif ·
Comprueba tu dispositivo · Verificação do dispositivo ·
Eszközellenőrzés. **LEGO.COM/devicecheck**

Mae gan bob un o'r marchogion Bŵer Tarian
y galli di ei sganio. Dyma un Aled:

Mae pedair tarian arall y galli di eu sganio yn
y llyfr hwn – alli di ddod o hyd iddyn nhw?

Cynnwys

Croeso i Dremarchog

Mae'r ddinas hon yn llawn hen bethau a phethau newydd. Mae pob marchog yn gwisgo arfwisg ac yn chwarae gemau cyfrifiadur. Yn y ddinas hon mae cestyll, sinemâu a siopau. Brenin a Brenhines Hafan sy'n rheoli'r deyrnas.

DIWRNOD GRADDIO

Mae pum marchog ifanc wedi graddio o Academi'r Marchogion. Mae pob marchog yn wahanol iawn. Mae pob marchog wedi addo gwarchod y deyrnas.

CLED

"Mae marchog da yn dilyn cod y marchogion."

LLION

"Rydw i eisiau bod yn seren enwog!"

MALI

"Rydw i'n dywysoges ac yn farchog."

ARON

"Mae hwn yn edrych yn beryglus! Grêt!"

ALED

'Oes yna fwyd ar gael?'

Cled

Dyma Cled. Mae Cled eisiau bod yn farchog gwych. Mae Cled yn farchog cryf a dewr. Mae e'n ymarfer am oriau ac oriau bob dydd. Mae e wedi dysgu cod y marchogion. Mae Cled yn glyfar iawn.

Llion

Mae Llion yn hoffi dangos
ei hunan. Mae e'n hoffi edrych
yn dda. Mae Llion yn hoffi bod
ei arfwisg yn sgleinio o hyd.

Mae e'n prynu llawer o bethau
glanhau ar gyfer ei arfau.
Mae e'n gyfoethog iawn!

Mali

Mae Mali yn dywysoges.
Ond, dydy Mali ddim yn
hoffi bod yn dywysoges. Mae
bywyd yn y castell mor ddiflas.
Mae pawb yn gwisgo ffrogiau
sgleiniog ac yn dawnsio o hyd.

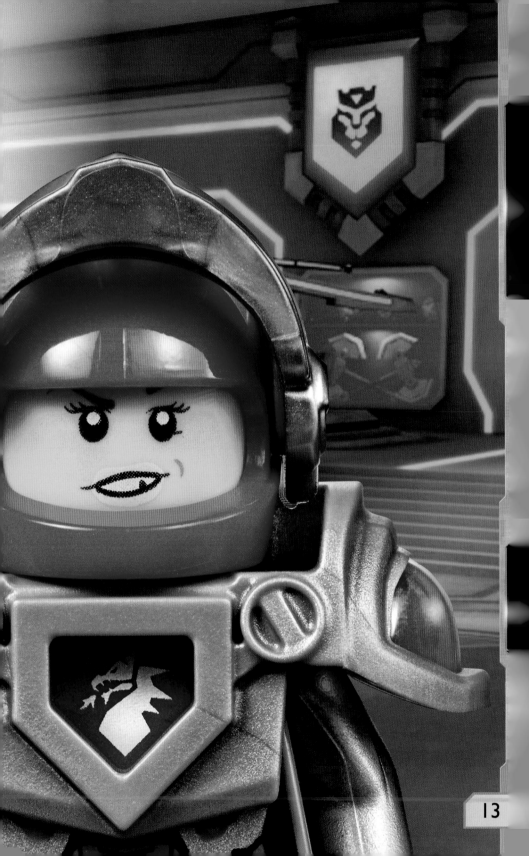

E-bost Brenhines Hafan

Oddi wrth: Mali Hafan

Annwyl Mam,

Sut wyt ti? Rydw i'n grêt! Rydw i'n farchog go iawn nawr, ac rydw i'n helpu i warchod Tremarchog. Rydw i eisiau i Dad weld pa mor dda ydw i fel marchog, hefyd!

Rydym ni'n edrych ymlaen at ddod i'r castell i gael gwledd fawr. Yn enwedig Aled!

Cariad mawr,

Y dywysoges Mali.

1 llun

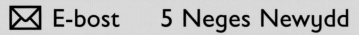

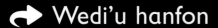 E-bost   5 Neges Newydd

 Wedi'u hanfon
Sbwriel
Ffrindiau
Ffolderi

Dyma fi'n ymladd Rheolwr y Bwystfilod

Aron

Mae Aron yn hoffi antur. Mae e'n hoffi gemau a chwaraeon gwallgof. Ond beth os aiff rhywbeth o'i le? Does dim ots gydag Aron – mae hynny'n fwy o hwyl!

Aled

Mae Aled yn hoffi bwyta.
Mae e hefyd yn hoffi chwarae
gyda'i fand, Marchogion y
Machlud. Dyma hoff gân Aled:

"Fi yw'r hen farchog
sy'n farus a boliog,
felly rhowch i mi stecen
a llond plat o gacen!"

Dewi

Dewi yw digrifwr Brenin Hafan. Dyw e ddim yn hoffi bod yn ddigrifwr. Mae pobl yn dweud nad yw e'n ddoniol. Druan â Dewi!

Mae Dewi yn dod o hyd i lyfrau am hud a lledrith drwg. Ond mae dewin y brenin yn rhoi swyn ar Dewi. Bwm! Mae Dewi a'r llyfrau yn cael eu taflu ar draws Tremarchog.
O na!

SIOM I DEWI

Dewi yw'r dyn dwl! O diar Dewi!

Mae llawer o bobl wedi dod i
weld Dewi, digrifwr Brenin Hafan.
Mae pawb yn chwerthin ar ben
Dewi. Ond dyw Dewi ddim yn
ddoniol! O diar! Mae Dewi
wedi anghofio ei jôcs. Mae e
wedi baglu! Mae e'n trio jyglo
ond mae'r peli'n syrthio dros
bob man. Druan â Dewi!

Y Llyfr Bwystfilod

Mae Dewi yn dod o hyd i'r Llyfr Bwystfilod. Mae'r llyfr eisiau codi ofn ar bobl ond, yn gyntaf, mae angen rhyddhau'r bwystfilod sydd wedi eu dal y tu mewn iddo.

Mae Dewi yn grac gyda'r bobl
sydd wedi chwerthin ar ei ben.
Mae e'n mynd i helpu'r Llyfr
Bwystfilod i godi ofn ar bobl.

RHYBUDD

BWYSTFILOD MAGMA

Mae bwystfilod yn y deyrnas. Byddwch yn ofalus! Mae arfau gyda nhw. Dydyn nhw ddim yn hapus! Pobl Tremarchog. Byddwch yn ofalus! Os ydych chi'n gweld un o'r bwystfilod Magma ... RHEDWCH!

TÂN GWYLLT!
BANG! BANG!

TAFLWR TÂN
ENFAWR

RHEDWYR
A CHOBLYNNOD

Y LLOSGWR
LLACHAR

Y
GWASGWR
CAS

Efa a Myrddin 2.0

Mae Efa Prentis yn astudio yn Academi'r Marchogion. Mae hi'n glyfar iawn. Mae hi'n gwybod bod dewin y brenin, Myrddin, wedi cael ei sugno i ganol cyfrifiadur y castell. Nawr, ei enw yw Myrddin 2.0. Bydd Myrddin 2.0 yn gallu helpu'r marchogion i warchod Tremarchog!

Y Gaer Symudol

Mae Dewi a'r bwystfilod yn ceisio dinistrio pawb a phob peth. Mae'n rhaid i'r marchogion roi stop ar hyn. Edrych ar y gaer hon! Mae'n gallu symud! Gall Myrddin 2.0 ddod hefyd. Dewch, farchogion! Bant â nhw yn y gaer!

TU FEWN I'R GAER

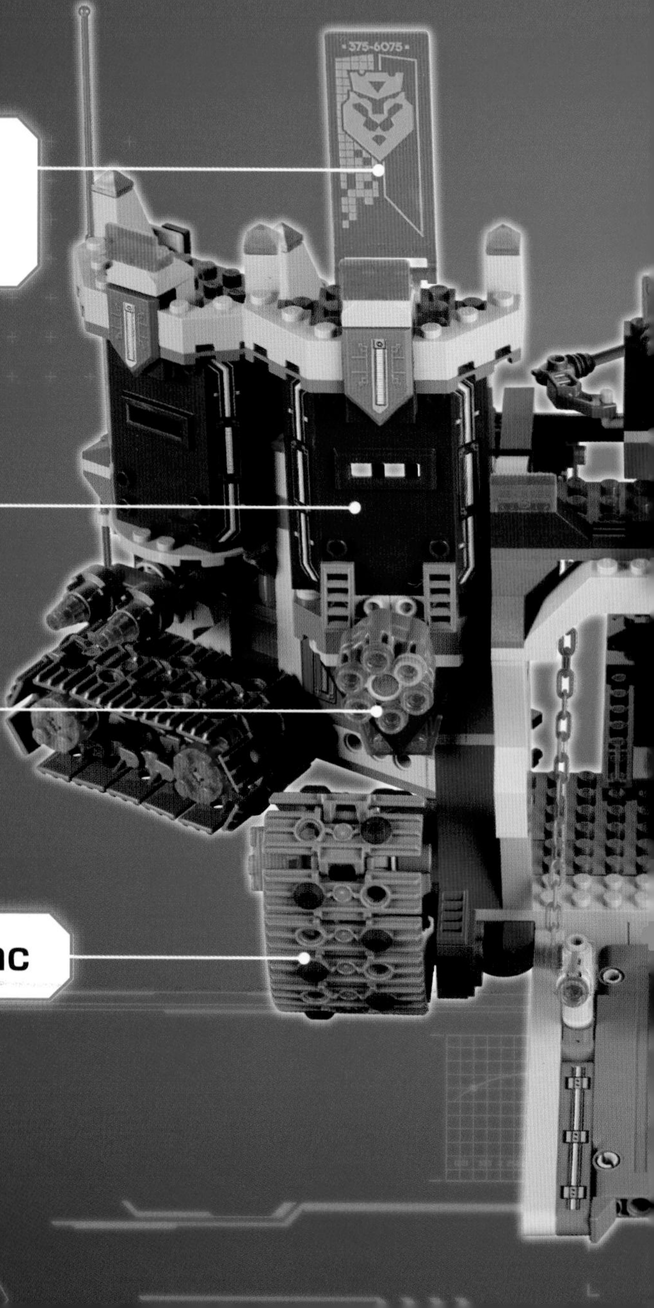

Hologram y faner frenhinol

Carchar

Saethwr tân cyflym

Olwynion tanc

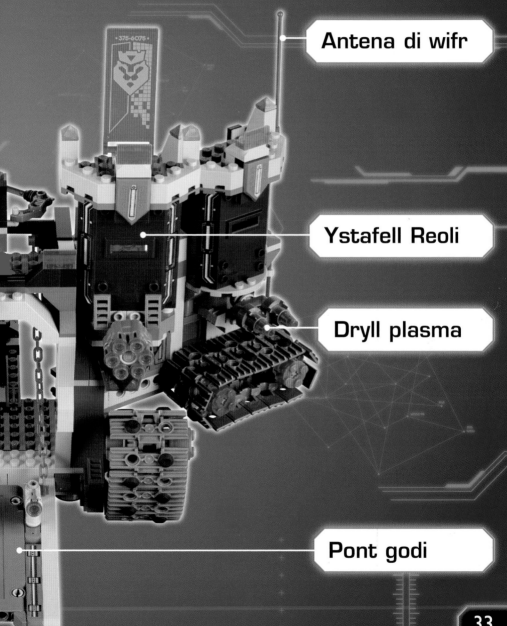

Mae'r Gaer fel castell ar olwynion.
Mae'r marchogion yn gallu ymarfer eu sgiliau yma.
Mae Myrddin 2.0 yn rhan o gyfrifiadur y Gaer. Mae
e'n gallu anfon pwerau at darianau'r marchogion.

Antena di wifr

Ystafell Reoli

Dryll plasma

Pont godi

Pwerau NEXO

Mae Myrddin 2.0 yn rhoi pwerau i'r marchogion – Pwerau NEXO. Ar ôl cael pwerau NEXO, mae'r marchogion yn gallu ymladd y bwystfilod. Edrych ar yr arfau sydd ganddyn nhw. Maen nhw'n goleuo'n oren. Nawr, maen nhw'n barod i ymladd!

"Mae pwerau Nexo yn grêt! Dyma bŵer Crafanc Clapio! Rydw i'n gallu symud fy arf yn wych!"

NEXO?

"Mae Myrddin 2.0 wedi anfon pŵer gwenwyn at y darian Nexo. Mae'n gwneud cwmwl o nwy peryglus. Cadwch draw, fwystfilod!"

Marchogion yn erbyn Bwystfilod

Mae'r bwystfilod yn saethu eu catapwlt tuag at arwyr Marchogion NEXO. Aw! Ond mae gan y marchogion eu cerbydau eu hunain.

Dyma Cled yn gyrru'r tanc mawr. Edrycha ar y cleddyf mawr ar y blaen! Mae'r bwystfilod ofn y cleddyf!

Trechu Dewi

Mae'r bwystfilod yn parhau i ymosod ar Dremarchog. A fydd y marchogion dewr yn eu trechu nhw? Byddan, siŵr iawn!

Mae'r marchogion yn hel Dewi a'r bwystfilod oddi yno. Mae'r brenin a'r frenhines mor hapus. Mae'r marchogion wedi achub y deyrnas. Hwrê!

Cwis

1. Pwy sy'n rheoli Tremarchog?

2. Pa farchog sy'n caru gemau peryglus a chwaraeon gwallgof ?

3. Pam nad yw Mali'n hoffi bywyd yn y castell?

4. Beth yw enw digrifwr Brenin Hafan?

5. Ym mha liw mae arfau NEXO yn goleuo?

6. Beth yw enw castell symudol y marchogion?

7. Pa farchog sy'n caru bwyta?

8. Pwy sy'n rhoi pwerau NEXO i'r marchogion?

9. Pwy sy'n gyrru'r tanc?

10. Pa farchog sy'n hoffi bod ei arfwisg yn sgleiniog iawn?

Atebion ar dudalen 45

Geirfa

Academi	Academy
anfon	to send
antur	adventure
anturiaethau	adventures
arfau	weapons
arfwisg	armour
astudio	to study
baglu	to trip
barus	greedy
boliog	big tummy
bwystfil	beast/monster
Crafanc Clapio	Clapper Claw
cyfoethog	rich
cyfrifiadur	computer
dangos	to show
dewr	brave
digrifwr	comedian/jester
doniol	funny
dysgu	to learn
enwog	famous
graddio	to graduate
gwallgof	crazy
gwarchod	to protect
Gwasgwr Cas	The Terrible Crust Smasher
gwledd	a feast
hud a lledrith	magic

Llosgwr Llachar	Menacing Moltor
marchog	knight
nwy	gas
olwynion	wheels
peryglus	dangerous
rheoli	to control
Rheolwr	boss
Rhedwyr a Choblynnod	Scurriers and Globlins
rhybudd	warning
rhyddhau	to release
sgleinio	to shine
siom	disappointment
sugno	to suck
swyn	(magic) spell
syrthio	to fall
Taflwr Tân Enfawr	The fearsome flame thrower
tarian	shield
teyrnas	kingdom
trechu	to defeat
tywysoges	princess
Y Gaer Symudol	The Moving Fort (Fortrex)
ymladd	to fight

Atebion i'r cwis ar dudalennau 42 a 43
1. Brenin a Brenhines Hafan 2. Aron 3. Mae e mor ddiflas!
4. Dewi 5. Oren 6. Y Gaer Symudol 7. Aled
8. Myrddin 2.0 9. Cled 10. Llion

Iaith i ddysgwyr / Language for learners

Sometimes in Welsh the first letter of a word changes, usually because of a word which has come before it. This is called a MUTATION (TREIGLAD). Can you spot any mutations in this book? You may have wondered why 'marchog' (knight) changed to 'farchog' on page 7. It did so because of a mutation rule. Don't worry about these, you will learn all about them as you progress with the language. Please just be aware that you might notice some mutations in this book.

This book is written mainly in the present tense, so everything is happening as you read it. However, there are a couple of instances when we refer to something that **has** happened or is **going** to happen, e.g on page 37:

"Mae Myrddin 2.0 **wedi** anfon pŵer gwenwyn at y darian Nexo".

This means that Myrddin 2.0 has sent toxic sting power to the Nexo shield.

If we wanted to say that Myrddin 2.0 was sending it **now**, we would say

"Mae Myrddin 2.0 **yn** anfon pŵer gwenwyn at y darian Nexo." (Myrddin 2.0 is sending sting power to the Nexo shield).,

On page 25, we also have an example of expressing what is going to happen. What Dewi is **going** to do:

"Mae e'n mynd i helpu'r Llyfr Bwystfilod i godi ofn ar bobl."

So, we can use this example to say three things:

"Mae e **wedi** helpu'r Llyfr Bwystfilod i godi ofn ar bobl."
(He has helped ...)

"Mae e **yn** helpu'r Llyfr Bwystfilod i godi ofn ar bobl."
(*Mae e'n helpu* ...) **(He is helping ...)**

"Mae e yn **mynd i** helpu'r Llyfr Bwystfilod i godi ofn ar bobl."
(*Mae e'n mynd i helpu* ...) **(He is going to help)**

Often, when people are speaking (in books and in real life!) they will use "Dwi / Dw i" (which has come from "Rydw i"). You might see "Rwy'n" in some books too.

So, "Rwy'n mynd i ennill.", "Rydw i'n mynd i ennill..." and "Dwi'n mynd i ennill..." are all the same. (*I am going to win ...*)

The quiz has a few different types of questions. Let's go through what they mean:

Sut? / How?	Ble? / Where?
Pa? / Which?	Pwy? / Who?

Canllaw i rieni

Mae darllen yn gallu bod yn ymdrech fawr ac yn waith caled i rai plant. Gall cefnogaeth a chymorth oedolyn fod o help mawr. Dyma ambell syniad wrth ddefnyddio'r llyfr hwn gyda'ch plentyn.

1. Darllenwch y clawr cefn, a thrafodwch y dudalen gynnwys gyda'ch gilydd cyn dechrau.

2. Cefnogwch eich plentyn wrth ddarllen drwy adael iddo ddal a throi'r tudalennau ei hunan.

3. Anogwch eich plentyn a gofynnwch gwestiynau am yr hyn mae'n ei ddarllen. Mae'r tudalennau ffeithiol ychydig yn anoddach na gweddill y testun, ac fe'ch cynghorir i rannu'r profiad o ddarllen y rhain gyda'r plentyn.

SYNIADAU PELLACH:

- Ceisiwch ddarllen gyda'ch gilydd bob dydd. Ychydig bach yn aml yw'r ffordd orau. Ar ôl 10 munud, does dim rhaid parhau oni bai bod eich plentyn yn awyddus i wneud hynny.
- Anogwch eich plentyn i drio darllen geiriau anodd ei hunan. Cofiwch ganmol eich plentyn pan mae e'n ei gywiro ei hun.
- Darllenwch lyfrau eraill i'ch plentyn er mwyn cynnal a chadw ei ddiddordeb.

Guide for Parents

For many children, reading requires much effort but adult participation and support can help. Here are a few ideas on how to use this book with your child.

1. Read the back cover, and discuss the contents page with each other before you begin.

2. Support your child in their reading through letting them hold the book and turn the pages him/herself.

3. Encourage your child and ask questions about what they have read. The factual pages tend to be more difficult than the story pages, and are designed to be shared with your child.

A FEW ADDITIONAL TIPS:

- Try and read together every day. Little and often is best. After 10 minutes, only keep going if your child wants to read on.
- Always encourage your child to have a go at reading difficult words by themselves. Praise any self-corrections.
- Read other books of different types to your child for enjoyment and to keep them interested.